La ville de Cantorb[...]

Six cents ans après que les pèlerins de Chaucer
furent mis en route pour Cantorbéry, la ville re[...]
encore des visiteurs en aussi grand nombre qu'au
cours de tout le Moyen-Age.

Des vestiges d'une occupation ancienne existent
à travers toute la ville, à côté de leurs équivalents
modernes.

Quels que soient vos goûts: cricket ou combats
de la Crosse et de la Couronne, dévotion ou
décorum, bonne table ou bon théâtre, locomotives à
vapeur ou expositions locales, le plan de la page 28
vous guidera à travers les rues moyenâgeuses.

C000141770

Salut, ô Mère de l'Angleterre
DEVISE VICTORIENNE

La ville actuelle de Cantorbéry remonte en fait à l'an 43 après J.C., lorsque les Romains vinrent s'y installer – bien que l'on ait des preuves d'une présence humaine depuis l'âge du fer (300 av. J.C.).

Durovernum devint un important centre de négoce.

On peut voir dans Butchery Lane les restes d'une maison de ville romaine, ornée d'un élégant pavement d'origine, mais la plupart des vestiges de la ville romaine sont enfouis de 2 à 4 mètres au-dessous des constructions actuelles. Le Théâtre, un des plus vastes de l'Angleterre romaine, gît maintenant sous les maisons et les rues, autour du raccordement de Castle Street et de St Margaret's Street.

Les bâtisseurs saxons, puis normands, puis médiévaux, puis modernes n'ont cessé d'empiler les constructions. Par une ironie du sort, les dégâts causés par les bombardements de la dernière guerre ont permis des fouilles scientifiques qui ont mis au jour quelques trouvailles archéologiques importantes.

PAGE PRECEDENTE: *La rivière Stour, actuellement un petit cours d'eau, joua un rôle important dans l'établissement de la ville et dans ses débuts. La Porte de l'Ouest, face aux constructions médiévales, fut édifiée par l'archevêque Sudbury à l'emplacement de la porte romaine, avant la jacquerie de 1381.*

A DROITE: *Les murs normands furent élevés sur les fondations des murs romains. L'ancienneté du Dane John, à l'arrière-plan, ne fait aucun doute, mais son origine est incertaine – on ne sait de façon sûre d'où il tire son nom.*

CI-DESSUS: *Ce couteau normand – à manche d'os avec une ciselure ouvragée dans le style anglo-scandinave – remonte à la période viking; découvert à Cantorbéry. Exposé au Canterbury Heritage Museum.*

CI-CONTRE: *Une des mosaïques romaines découvertes après le blitz de la dernière guerre; maintenant conservée in situ dans Butchery Lane.*

CI-DESSUS, A GAUCHE: *Le Dane John Mound (tertre du Danois John) prit sa forme actuelle lorsque le monument – qui commémore la donation des jardins du Dane John – fut édifié à son sommet, à la fin du 18è siècle, par un notable de la ville, le conseiller municipal John Simmonds,* propriétaire de la *Banque et de la Gazette du Kent. Il donna au tertre sa rondeur régulière.*

A GAUCHE: *Cuillers romaines – partie d'un trésor d'argenterie fine découvert à Cantorbéry en 1962 et déclaré "Treasure Trove" (trésor sans propriétaire).*

Exposées au Canterbury Heritage Museum.

CI-DESSUS: *Un mur moyenâgeux encercle encore environ la moitié du tour de la ville. Il suit le tracé du mur romain du 3è siècle.*

Ce que nous savons de "la forte-resse du peuple du Kent" com-mença avec le règne d'Ethelbert en 561. Son épouse française, la reine Berthe, était chrétienne et le roi lui avait donné l'église St Martin pour y faire ses dévotions. En 597, Augustin (ou Austin), envoyé par le pape Grégoire le Grand, arriva dans le Kent avec quelques moines missionnaires, pour convertir les Anglais païens. En partie grâce à l'influence de la reine, Augustin baptisa Ethel-bert, six mois après son arrivée. Le roi lui donna une église qui finit par devenir la cathédrale. En outre, Augustin fonda une abbaye de St Pierre et St Paul, connue plus tard sous le nom de St Augustine's, dont on peut encore voir les ruines. Jusqu'en 758, tous les archevêques furent inhumés dans l'abbaye.

Abbaye et cathédrale devinrent de plus en plus rivales et ennemies avec la montée du pouvoir de la cathédrale et de son prieuré. Un grand désastre s'abattit sur

EN HAUT A DROITE: *La Croix de Cantorbéry – la célèbre broche saxonne datant d'environ 850 avant J. C. Découverte lors de fouilles à Cantorbéry au siècle dernier et devenue le symbole de l'Eglise de Cantorbéry. En bronze avec des incrustations d'argent. Exposée au Canterbury Heritage Museum.*

CI-CONTRE: *St Peter's Church, dans St Peter's Street, pourrait être d'origine saxonne. C'est un bon exemple d'église de ville médiévale. Elle contient un reposoir, une ancienne "piscine" (pour recueillir l'eau des ablutions), de beaux fonts baptismaux anciens, et des armoiries royales datées de 1704.*

5

Cantorbéry, mise à sac par les envahisseurs danois en 1101. Alphege, son vieil archevêque, fut fait prisonnier et, avant d'être assassiné, vit brûler sa cathédrale.

Toutefois, dans la décennie suivante, Canute, un Danois devenu roi d'Angleterre, préleva sur sa cassette et sur des impôts nouveaux de quoi restaurer les églises chrétiennes, en particulier la cathédrale. En 1023, le corps de St Alphege y fut inhumé, à côté de celui de St Dunstan, qui avait été archevêque au 10è siècle.

CI-DESSOUS: *Le portail Fyndon, construit à l'extérieur de l'abbaye saxonne de St Augustin. Les archéologues ont mis au jour des vestiges des constructions et tombes les plus anciennes. On les considère comme les ruines monastiques les plus importantes au nord des Alpes.*

A GAUCHE: *L'Hôtel de Ville de la Sainte Croix, qui fut une église jusqu'à 1978, sert maintenant de salle de réunion au Conseil Municipal. De longs siècles durant, l'Hôtel de Ville était au coin de Guildhall Street et de High Street, jusqu'à sa démolition (1952).*

A DROITE: *Le Pendentif de Cantorbéry; c'est "la pièce anglo-saxonne la plus belle trouvée depuis le trésor de Sutton Hoo". Canterbury Heritage Museum.*

Thomas Becket: un prêtre peu accommodant

CI-CONTRE: *La cathédrale de Cantorbéry, centre de la vie de la cité pendant des siècles, est un trésor d'art architectural depuis les Normands. Elle renferme un magnifique ensemble de vitraux des 12è et 13è siècles.*

Le château royal de Cantorbéry fut construit pour Guillaume le Conquérant, qui vit dans la cité une place forte stratégique. Il en reste peu de choses. Pendant de longues années, on releva les murailles et les portes romaines, mal réparées à l'époque normande. De nos jours, la seule porte médiévale restante est la Porte de l'Ouest (West Gate).

En 1066, le roi, l'archevêque et l'abbé étaient les seules autorités à Cantorbéry; le clergé, seul capable de lire ou d'écrire, détenait tous les postes qui requéraient ces compétences. Les gens d'église étaient aussi les plus grands propriétaires et donc très impliqués dans le négoce et le commerce. En 1070, Guillaume le Conquérant nomma un archevêque normand, Lanfranc. C'était un propriétaire normand dont l'état d'esprit libéral protégea la ville des dégâts infligés par les Normands aux baronnies saxonnes dans presque tout le reste de l'Angleterre. Au cours des 200 années suivantes, l'archevêque de Cantorbéry allait devenir un homme d'Eglise et un homme d'Etat de premier plan.

Le pouvoir royal regardait avec convoitise les biens fonciers et les richesses de l'Eglise et les lui disputa de génération en génération. Cette querelle culmina sous le règne de Henry II, homme orgueilleux et opiniâtre, qui comprit que pour éviter d'offenser la Papauté, il avait besoin de confier à un allié le poste influent d'archevêque de Cantorbéry. Quand l'archevêché devint vacant en 1162, il y nomma son loyal conseiller et chancelier Thomas Becket. C'était méconnaître le caractère obstiné et intransigeant de Becket qui, devenu archevêque, n'eut plus qu'un but: servir l'Eglise. En, deux ans, les démêlés entre les deux hommes avaient pris un tour si enflammé que Becket se retira dans un monastère en France. De là, il critiqua le roi, excommunia des notables anglais et ne cessa d'en appeler au Pape pour qu'il appuie ses revendications.

Juste avant son retour en Angleterre, en décembre 1170, Becket avait une dernière fois embrasé la fureur du roi: "Personne ne va donc me débarrasser de ce roturier de prêtre?" avait-il tonné de-

CI-CONTRE:
Vestiges du dortoir voûté en sous-sol construit par l'architecte normand Lanfranc.

CI-DESSOUS: *L'escalier normand, qui fait maintenant partie de King's School, est parmi les plus beaux d'Angleterre. Le hall d'origine servait de dortoir pour les pèlerins les moins fortunés.*

CI-CONTRE: *La Porte de Christ Church donne dans l'enceinte de l'abbaye. Elle fut achevée en 1517. Les portes furent installées après la Restauration en 1660. La façade du monument fut restaurée en 1932 et les tourelles, enlevées au 19è siècle pour* *permettre au propriétaire de la Banque de Cantorbéry de voir l'horloge de la cathédrale, furent remises en place.*

"Quand l'archevêque arriva près des remparts de sa ville, les trompettes annoncèrent son approche, attendue depuis si longtemps, et le flot du menu peuple en sortit pour lui souhaiter la bienvenue… Les cloches des nombreuses églises déversèrent un joyeux carillon au passage de la procession; on entendit des hymnes d'actions de grâces…quand Becket entra dans la cathédrale". Telle fut la description faite par le Doyen Hook du retour d'exil de Becket à Cantorbéry le 2 décembre 1170.

VIES DES ARCHEVEQUES

vant quatre chevaliers qui le prirent au mot.

En moins de quatre semaines, "la même ville, la même cathédrale furent témoins d'un assassinat … tellement noir que la honte de son souvenir jette encore une ombre sur les lieux du crime, que les gens traversent la chapelle du martyre, la voix basse et le regard solennel" (J. C. Cox, *Canterbury*).

CI-CONTRE: *Ce panneau est une copie d'une peinture médiévale représentant le martyre de St Thomas Becket. On peut encore en voir l'original, très abîmé, à la tête du tombeau du roi Henry IV, dans la chapelle de la Trinité.*

CI-DESSUS: *La "Couronne", une salle circulaire à l'extrémité est de la cathédrale, tire son nom d'une relique, la tête de St Thomas, qui y était conservée.*

Dans la vie du Moyen-Age, "l'activité économique suivait l'Eglise" – cela était assurément vrai de Cantorbéry. L'abbaye et la cathédrale, grands propriétaires terriens, procuraient du travail aux artisans et marchands locaux. Puis, avec la vénération de St Thomas, Cantorbéry devint pour les pèlerins, qui y apportaient richesse et affaires, la ville la plus importante après Jérusalem et Rome.

Ils trouvaient dans St Dunstan's Street beaucoup d'auberges et de logements, rendus nécessaires par l'instauration du couvre-feu et la fermeture des porte à la nuit. Beaucoup de visiteurs dormaient à même le sol et les tentes étaient signe de richesse. Les pèlerins importants étaient reçus à l'abbaye ou chez Meister Omer. Un pèlerinage était l'occasion de passer quelque temps en compagnie hors du foyer, en toute sécurité, et avec assez de variété pour convenir au goût de chacun.

A GAUCHE: *L'hôpital de St Thomas le Martyr, Eastbridge (dans St Peter's Street), fut fondé pour les pèlerins par Edward Fitzodbold, peu après le martyre. La façade est en partie en silex médiéval et en partie en brique du 17è siècle.*

CI-CONTRE: *La chapelle du 14è siècle d'Eastbridge Hospital. Le "Maître" y préside régulièrement des offices pour les membres de l'hospice. La dernière page de couverture de ce guide montre l'arrière de l'hôpital.*

A Southwark… au Tabard, alors que je logeais,
Prêt à partir pour mon pèlerinage
A Cantorbéry, le coeur plein de dévotion,
Arrivèrent sur le soir, en cette hôtellerie
…des gens de toutes sortes… et c'étaient tous
   des pèlerins
Qui voulaient se rendre à cheval à Cantorbéry.

CHAUCER Contes de Cantorbéry

La prospérité de la ville vint de la vente de colifichets, d'insignes et autres bagatelles, comme sur les sites touristiques d'aujourd'hui, cependant que les autorités religieuses vendaient des objets de piété. Presque tous les rois d'Angleterre, aussi bien que les gouvernants étrangers, ont visité Cantorbéry, mais seul Henry IV y fut enterré. En 1376, le Prince Noir fut inhumé près du tombeau de St Thomas.

Beaucoup de pèlerins étaient des malades ou des vagabonds. Il fallait les loger et les soigner, eux aussi. Cantorbéry se vantait d'avoir fondé plusieurs hôpitaux à leur intention: St Jean Baptiste; l'Hôpital de St Thomas le Martyr, à Eastbridge; St Nicolas à Harbledown; l'Hôpital des Pauvres Prêtres et d'autres encore, disparus depuis longtemps.

Au 14è siècle, la popularité des pèlerinages, des reliques et des indulgences commença à décliner. Le septième et dernier jubilé de la Translation de St Thomas eut lieu en 1520. Henry VIII y assistait, en compagnie de l'empereur Charles V. Le roi et l'empereur, chevauchant sous le même dais, entrèrent dans la ville par la Porte St Georges, le dimanche de Pentecôte, juste derrière le Cardinal Wolsey et devant la haute noblesse d'Angleterre et d'Espagne. Prêtres et membres du clergé étaient alignés le long des rues, tenant des encensoirs et des croix et revêtus de surplis et de chapes de la plus grande splendeur. L'archevêque les attendait au grand portail Ouest de la cathédrale. Dix-huit ans plus tard, le 16 novembre 1538, le roi Henry VIII, cet ancien dévôt, décréta que St Thomas était un traître, fit piller son tombeau et détruire tout ce qui le représentait ou faisait référence à lui. Lui-même avait déjà rompu avec Rome afin de se proclamer chef de l'Eglise d'Angleterre et Défenseur de la Foi.

CI-DESSUS: *Un insigne médiéval représentant la tête de St Thomas de Cantorbéry – un des souvenirs de la visite à Cantorbéry aux plus beaux jours du pèlerinage. Exposé au Canterbury Heritage Museum.*

A DROITE: *Le réfectoire des Frères Prêcheurs, dans Blackfriars Street, en face du Temple dans St Peter's Street, faisait partie d'un couvent dominicain. Les Dominicains arrivèrent à Cantorbéry en 1220. Le réfectoire, bien restauré, est maintenant occupé par King's School.*

A GAUCHE: Les pèlerins de Cantorbéry – *peinture à l'huile de Thomas Stothard, RA, en 1817. Collections du Royal Museum.*

CI-DESSUS: *Les pèlerins venaient du monde entier à Cantorbéry. La route immortalisée par l'écrivain Geoffrey Chaucer dans les* Contes de Cantorbéry *était celle venant de Londres.*

A GAUCHE: *Greyfriars House est le bâtiment franciscain le plus ancien de Grande-Bretagne. A sa construction, il faisait partie des bâtiments édifiés après l'arrivée des Franciscains en 1224. Les autres bâtiments du monastère ont disparu.*

A DROITE: *Maisons médiévales sur la rivière Stour.*

A L'EXTRÊME-DROITE: *Cogan House, dans St Peter's Street, était la demeure des maires et baillis de Cantorbéry. Remontant au 13è siècle, elle contient un des plus anciens halls à colombages et bas-côtés que l'on connaisse, ainsi que de splendides lambris Tudor sculptés.*

CI-DESSUS: *Conquest House, dans Palace Street. La tradition veut que les chevaliers qui assassinèrent Becket aient logé ici la nuit précédente.*

A DROITE: *Plan de Cantorbéry vers 1580.*

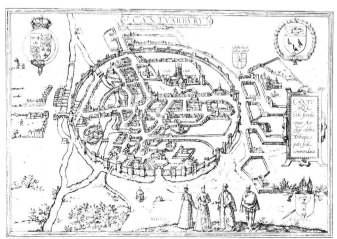

CI-CONTRE: *Le Marché au Beurre, autrefois centre d'activité commerciale, était à l'origine un vaste bâtiment à toit en dôme; des femmes y vendaient fleurs et divers articles, juste à l'extérieur de Christchurch Gate.*

CI-DESSUS: *La Porte de Christchurch donnant sur la cathédrale, au début du 19è siècle – estampe de F. McKenzie faisant partie des collections du Musée.* DOUBLE PAGE SUIVANTE: *La cathédrale vue du Sud-Ouest.*

"Une ville qui prospère…"

CI-CONTRE: *Des grotesques en bois sculpté, au-dessus d'une boutique dans St Peter's Street.*

"C'est une très noble cité, les portes en sont hautes bien qu'étroites, les rues sont larges et longues pour la plupart et les maisons belles, très propres quoique pas très hautes, la plupart en briques; c'est une ville qui prospère dans le Tissage des Soies".

CELIA FIENNES, 1697

CI-DESSOUS: *"Queen Elizabeth's Guest Chamber", au nom mystérieux, dans High Street, s'enorgueillit d'un superbe crépissage (1663) que montre une aquarelle de Sidney Cooper.*

CI-DESSUS: *Avec les réfugiés huguenots (16è siècle), le tissage constitua une industrie importante à Cantorbéry. Exposé au Canterbury Heritage Museum.*

PAGE SUIVANTE: *Les Weavers' Houses étaient habitées par des tisserands flamands et huguenots.*

A DROITE: *Saunders' Shop, où Charles II prit son petit déjeuner en 1664, fut une boulangerie pendant 200 ans. Riche collection de cartes postales du vieux Cantorbéry.*

Cantorbéry, sans être un port, était relié directement au port continental de Douvres. Sous le règne d'Elizabeth Ière, le tissage de la laine était l'industrie principale du district et la ville était devenue un centre de commercialisation et de distribution de produits manufacturés en laine. Elle accueillait un nombre considérable de réfugiés pour motifs religieux, venus du continent, en majorité Wallons et Huguenots. Après le massacre de la St Barthélémy à Paris en 1572, les Huguenots français y déferlèrent de plus en plus et on leur concéda la crypte. Un groupe de protestants français utilise encore la chapelle de fondation du Prince Noir.

En ville, beaucoup de bâtiments (notamment des façades de boutiques dans St Peter's Street et High Street) ont été construits par des tisserands huguenots.

Leur style est très caractéristique, avec, sur la façade, un pignon élevé surmontant une porte de grenier par laquelle montaient et descendaient balles de laine et marchandises. Les noms de famille eux-mêmes, à Cantorbéry, rappellent les réfugiés du continent-Lefevres (forgeron), Lepine, Delahaye, de Lassaux.

Le 18è siècle vit Cantorbéry jouir d'une prospérité modeste. Dès 1724, Daniel Defoe rapporta que quelqu'un avait découvert que le sol était très favorable à la culture du houblon et que ce fait, "pour parler le langage du cru, met tout le monde à bêcher son terrain et à planter, de sorte que maintenant les gens peuvent bien dire sans se vanter qu'à Cantorbéry se trouve la plus grande plantation de houblon de toute l'Ile, quelque chose comme près de six mille acres sur à peine quelques milles."

A GAUCHE: *Au 18è siècle, on "modernisa" des maisons à colombages en en revêtant la façade avec des "tuiles mathématiques" alors à la mode.*

A GAUCHE: *"Ici s'élevait le Moulin Royal, don du roi Stephen à l'abbaye St Augustin en 1144: repris par la Couronne et donné à Rohesia, soeur de St Thomas Becket, en 1174". (Plaque commémorative sur le mur du bâtiment qui date des rois Georges).*

A DROITE: High Street, Canterbury – *aquarelle de Thomas Sidney Cooper, RA, 1826. Collections du Musée.*

Perspective sud-ouest de Cantorbéry en 1735, de Samuel et Nathaniel Buck, montrant la ville entourée de murs, ne débordant encore que peu de ses limites du Moyen-Age – et toujours dominée par la cathédrale.

"En 1787, le Parlement vota une loi pour paver et éclairer cette ancienne ville, en assurer la sécurité et y faire d'autres améliorations; en conséquence de quoi, en l'espace de deux ans, la ville fut repavée... Maintenant, les rues, au lieu d'être sombres et sales, encombrées d'un tas d'enseignes, de poteaux, de tuyaux de descente et autres obstacles et nuisances, sont spacieuses et aérées, proprement balayées, et ont des veilleurs de nuit compétents. Outre cette loi qui a permis l'éclairage urbain par le moyen d'une quantité de lampes à huile, une autre a été obtenue depuis, qui a doté la ville de l'actuel éclairage au gaz."

WILLIAM GOSTLING

En chemin de fer vers Cantorbéry

Le chemin de fer de Cantorbéry à Whitstable fut inauguré en 1830. On peut encore en voir une relique, la fameuse locomotive Invicta, récemment restaurée et actuellement exposée au nouveau musée qu'abrite ce qui fut l'Hôpital des Pauvres Prêtres, dans Stour Street. La ligne eut ses heures de gloire et de déclin et n'existe plus maintenant.

C'est Cantorbéry qui est représentée dans le *David Copperfield* de Dickens, mais plus comme type de ville que comme peinture détaillée de maisons réellement existantes. Au 19è siècle, St Augustine's College, qui avait été transformé en brasserie et en jardins d'agrément, fut réaffecté au culte: en 1848 en effet, un nouveau "collège missionnaire" s'ouvrit dans l'abbaye reconstruite, elle-même achetée et recédée à l'Eglise par J. B. Hope. Ce siècle vit aussi la construction de maisons qui furent démolies l'une après l'autre dans les années 1960; on construisit sans plan d'urbanisme des maisons de qualité médiocre dans des rues étroites car il fallait absolument loger à bon marché la classe ouvrière. Maintenant, le Conseil subventionne la réhabilitation des constructions anciennes.

La ville compte maintenant environ 40 000 habitants.

A DROITE: *Le Canterbury & Whitstable Railway fut inauguré le 3 mai 1830, dans la liesse générale.*

CI-DESSOUS: *West Gate, la Porte de l'Ouest, datant du Moyen-Age, avec, à côté, la nouvelle prison du début du 19è siècle – estampe de N. Whittock, collections du Musée.*

A DROITE, EN HAUT: *Le Beaney Institute, du nom de son fondateur, abrite le Royal Museum and Art Gallery et le Buffs Museum. Cet ancien régiment, l'East Kent, fut amalgamé avec d'autres pour devenir le Queen's Regiment en 1966. Celui-ci a reçu la distinction "Freedom of the City".*

A DROITE, AU MILIEU: *Billet de voyageur pour l'inauguration le 3 mai 1830, du Canterbury & Whitstable Railway.*

A DROITE, EN BAS: *La gare de Cantorbéry.*

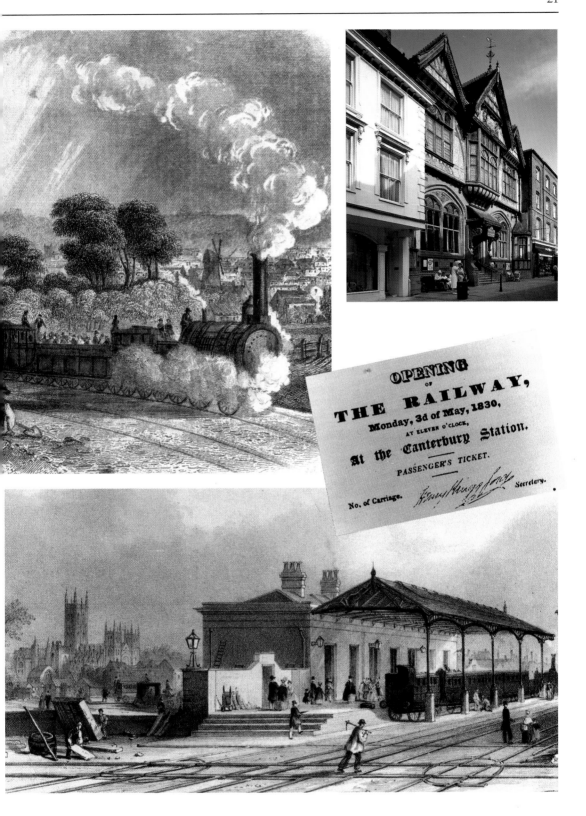

OPENING
OF
THE RAILWAY,
Monday, 3d of May, 1830,
AT ELEVEN O'CLOCK,
At the Canterbury Station,

PASSENGER'S TICKET.

No. of Carriage.   Secretary.

CI-CONTRE:
"Remorquage de l'Invicta", la première locomotive à vapeur du monde pour voyageurs, construite par les frères Stevenson dans leurs ateliers de Newcastle, pour le Canterbury & Whitstable Railway.

CI-DESSOUS: *Ancien foirail jusqu'à une époque récente, le Marché de Cantorbéry fait maintenant partie du Ring Road, le boulevard circulaire. Betsy Trotwood était là, "faufilant son poney gris au milieu des charrettes, des paniers, des légumes et des marchandises des rustauds"* (David Copperfield).

A GAUCHE ET CI-DESSUS: *Joseph Conrad, il vivait près de Cantorbéry et est enterré dans le cimetière municipal. Une collection de ses livres, effets personnels ainsi que sa table de travail* favorite sont exposés au Canterbury Heritage Museum.

CI-DESSOUS: *La Maison d'Agnès, dans St Dunstan's Street, appartenait à l'Agnès Wickfield de David Copperfield.*

PAGE DE GAUCHE:
Vue aérienne de Cantorbéry.

CI-DESSUS A GAUCHE:
Le Centre d'Information Touristique est situé dans une maison à colombages du 17è siècle dont la façade fut revêtue de "tuiles mathématiques" au 18è siècle. De l'intérieur, on voit bien le sertissage au plomb de ses fenêtres.

CI-DESSUS A DROITE:
Christopher Marlowe, l'auteur dramatique du 16è siècle natif de Cantorbéry, a donné son nom au Marlowe Theatre.

A GAUCHE: *Mercery Lane. Le magasin sur la gauche fit autrefois partie d'une hôtellerie célèbre à l'enseigne de "l'Echiquier de l'Espoir". A l'époque, elle logea des milliers de pèlerins venus au tombeau de Becket. L'incendie en détruisit la plus grande partie.*

A GAUCHE: *Le Canterbury Centre, dans l'église désaffectée St Alphege (12è siècle). Il présente des expositions, des spectacles de diapos et de vidéo sur le passé, le présent et l'avenir de Cantorbéry.*

A DROITE: *Le Canterbury Heritage Museum, dans l'Hôpital des Pauvres Prêtres – une promenade dans l'histoire de la ville, dans un cadre médiéval restauré magnifiquement.*

CI-DESSUS: *Ce livre, publié en 1925, est exposé dans la Collection Rupert au Canterbury Heritage Museum. Il montre le Rupert du début, vêtu d'un pull bleu (devenu rouge plus tard).*

A GAUCHE: *La Porte de l'Ouest servait de prison. Elle expose des armes et armures. D'une de ses tours, vue superbe sur Cantorbéry et la cathédrale.*

A DROITE EN HAUT ET A L'EXTRÊME DROITE: *Une église médiévale dans St Margaret's Street, maintenant La Voie du Pèlerin. De là partent des visites guidées faisant revivre un pèlerinage allant de Londres au tombeau de Thomas Becket, dans la cathédrale. On y voit aussi des spectacles audiovisuels, d'après des histoires extraites des Contes de Cantorbéry.*

A GAUCHE: *L'Invicta de Stephenson, la première locomotive pour voyageurs au monde, maintenant au Canterbury Heritage Museum.*
CI-DESSOUS: *Exposition d'armures au Canterbury Heritage Museum: casque funéraire, épée, javelot et gantelet provenant de la tombe de Sir Roger Manwood dans St Stephen's Church, Cantorbéry. Il était Grand Baron de l'Echiquier de la reine Elizabeth Ière.*

Centre de Cantorbéry

A visiter
Lieu de culte
Rue piétonne
Rue commerçante
Sens unique

Toilettes publiques H/F
Bureau du Tourisme
Parking
Gare/Gare routière
Point de vue

Ce plan est une version simplifiée de
Town & Heritage Map of Canterbury

Metres 1989 Yards

© Intermap Production Ser